KB172007

아빠의 선물

정재영

아빠의 선물

발　　행 | 2024년 6월 10일
저　　자 | 정재영)
디 자 인 | 어비, 미드저니
편　　집 | 어비
펴 낸 이 | 송태민
펴 낸 곳 | 열린 인공지능
등　　록 | 2023.03.09(제2023-16호)
주　　소 | 서울특별시 영등포구 영등포로 112
전　　화 | (0505)044-0088
이 메 일 | book@uhbee.net

ISBN | 979-11-94006-28-2

www.OpenAIBooks.com

아빠의 선물

정재영

목차

2. 어린이집 시절

- 첫 번째 학예회
- 첫 가족 여행
- 첫 번째 바다의 기억
- 첫 번째 수영
- 첫 번째 캠핑
- 첫 책 읽기
- 첫 번째 운동회
- 첫 발레 레슨
- 첫 번째 가족사진
- 첫 번째 미술작품
- 첫 번째 요리 시도
- 첫 번째 할로윈
- 첫 번째 등산
- 첫 번째 공연 관람
- 첫 번째 놀이동산
- 첫 번째 치과 치료
- 첫 번째 별자리 관찰
- 첫 번째 기차 여행
- 첫 번째 곤충 채집
- 어린이집 졸업식
- 어린이집 친구들, 선생님과의 이별

3. 초등학교 입학 준비

- 첫 번째 학교 방문
- 학용품 구매
- 새로운 친구들과의 만남
- 새로운 선생님과의 만남
- 초등학교 입학식

머리말

사랑하는 딸에게.

인생에서 가장 빛나는 순간 중 하나는 네가 이 세상에 온 그 순간이었어. 그 작은 손과 발, 순수한 눈빛은 엄마와 아빠에게 큰 기쁨과 사랑을 가져다주었지. 이 컬러링북은 네가 태어나서부터 초등학교에 들어가는 순간까지, 우리가 함께한 소중한 추억들을 담고 있단다.

이 책의 각 페이지는 너의 성장을 기록한 아름다운 순간들로 가득 차 있어. 첫 웃음, 첫걸음, 첫 생일... 이 모든 순간들은 너와 함께하는 모든 날이 얼마나 특별한지를 말해줘. 이 컬러링북을 통해 우리 가족의 소중한 순간들을 다시 한번 느끼고, 색칠을 하며 추억을 공유하고 간직하길 바래.

너와 함께하는 모든 순간이 아빠에게는 큰 선물이야. 이 책을 통해 너도 우리가 함께한 시간의 소중함을 느낄 수 있기를 바라며, 앞으로 펼쳐질 너의 빛나는 미래를 응원할게.

저자 소개

저는 코로나 이후 20년간의 사업을 정리하고, 가족의 소중함을 깊이 느끼며 주변을 돌아보게 되었습니다. 8살 된 초등학생 딸을 위한 책, 아내를 위한 프로포즈 책, 자신을 위한 책 세 권을 준비하고 있으며 이는 그중 첫 번째 도전입니다. 24살의 어린 나이에 베트남에서 사업을 시작해 25살에 베트남에서 가장 큰 가구 공장을 성공적으로 운영했으며, 26살에는 수출탑 수상과 상공회의소 의원직을 맡으며 승승장구하였습니다. 지금은 사업 컨설턴트로서 앞으로의 삶을 재설계하는 중입니다.

태어난 순간

네가 태어난 순간 엄마, 아빠는 새로운 세상이 열렸어. 흑백이던 세상에 색이 칠해지기 시작했단다. 너는 우리 삶의 축복이고 영원한 사랑이야.

너무 작은 발

네가 태어나고 처음 너의 발을 만져보았을 때

엄마의 엄지손가락만한 발을 보고

아빠는 너무 신기했단다.

첫 목욕

너를 처음 목욕시킬 때 너무나 연약한 너의 몸이
내 손길에 부서지지 않을까 너무 무서웠단다.
넌 나에게 소중한 보물 같은 아이였어.

처음으로 미소 짓는 순간

네가 우릴 보며 처음 웃음 지었을 때
엄마랑 아빠는 너로부터 받을 수 있는
모든 행복을 이미 다 받았단다.

첫 이유식 먹기

너의 입으로 음식들이 들어가는 것을 보면서

보기만 해도 배가 부르다는 말이

어떤 의미인지 알게 되었단다.

기어가기 시작할 때

네가 처음 기고 일어서기 시작할 때

그 설렘은 지금도 생생하구나.

그만큼 네가 다칠까 걱정도 많았단다.

첫 발걸음

네가 처음 걷던 그때는 참 많이 넘어졌단다.
그렇게 넘어지면서도 한발 한발 떼던 그 순간이
지금은 달리기도 잘 하는 너를 만들어 줬구나.

첫 생일 파티

네 첫 생일에는 참 많은 사람들이

축하를 해주었다.

네 삶에는 항상 좋은 사람들이 함께 하길 바란다.

너에 첫 친구

네가 친구를 처음 집에 초대하였을 때

네가 설레 던 모습이 아직도 눈에 선하구나.

항상 좋은 친구와 함께 하길 바란다.

첫 번째 애완동물과의 만남
아팠던 까망이와 다정했던 소롱이
이제는 하늘로 갔지만 항상 너를 지켜주던
네 가족이었단다.

첫 번째 크리스마스

우리 가족의 첫 번째 크리스마스는

네가 참 즐거워했었단다.

너와 오랫동안 크리스마스를 즐기고 싶구나.

첫 자전거 타기

네가 혼자 자전거를 타고
공원들 달릴 때 아빠는 너무 기쁘면서
넘어질까 무서워 어쩔 줄을 몰랐단다.

첫 번째 동물원 방문

너와 함께 동물원에 갔을 때
네가 동물들을 보며 신기해하던 모습이
갑자기 떠오르는구나 조만간 다시 한번 가자.

첫 어린이집 등원

네가 어린이집에 처음 간 날
하루 종일 너와 처음 떨어진 기분에
마음이 싱숭생숭 했단다.

첫 번째 학예회
네가 어린이집에서 예쁘게
발레복을 입고 포즈를 취할 때 아빠는
세상에서 가장 아름다운 발레리나를 봤단다.

첫 가족 여행

우리가 다 같이 여행을 갔을 때

네가 세상 모든 것을 신기해하는 모습이

아직도 눈에 선하구나.

첫 번째 바다의 기억
친구들과 함께 간 바다에서 너는
처음 만난 바다 생물들과 함께
해가 질 때까지 지칠 줄 모르고 놀았었다.

첫 번째 수영

어릴 때는 거의 매일 함께 물놀이를 했고
작은 사고가 있어 물을 무서워했지만
지금 물놀이를 좋아하는 너를 보면
너무 행복하구나.

첫 번째 캠핑

처음 친구들과 함께 캠핑을 간 날

너는 앞으로 텐트에서 살겠다고 했단다.

첫 책 읽기

항상 테이블 위에서 책을 보던 너는

지금은 왜 책을 안 보는 거니?

첫 번째 운동회

너는 아빠를 닮았나 보다.

운동회 때 또래 친구들보다 월등하고

날아다니던 네 모습은 정말 최고였다.

첫 발레 레슨

넌 첫걸음을 할때부터 까치발을 걸었단다.

선생님부터 우리 모두는 너가

훌륭한 발레리나가 될꺼라고 생각한단다.

첫 번째 가족사진

첫 가족사진을 찍을 때
매년 우리는 이렇게 가족사진을 찍겠다고 했는데
첫 사진 이후로 한 번도 찍지 못했구나.

첫 번째 미술시간
네가 그림을 잘 그리는 건 분명
엄마를 닮았는 거 같다.
아빠가 가장 못하는 게 그림 그리는 거거든

첫 번째 요리 시도

네가 요리하는 것을 좋아하는 건

아빠를 닮았다.

요리는 아빠가 잘한단다.

첫 번째 할로윈

어린이집에서 아이들과 할로윈 파티를 할 때

네 첫 할로윈 분장은

귀여운 꼬마 유령 같았단다.

첫 번째 등산

네가 아빠와 처음 등산을 갔을 때

너는 한 번에 끝까지 올라갔다.

그리고 그 뒤로는 등산을 안 가는구나.

첫 번째 공연 관람

너는 공연을 보는 것을 참 좋아했단다.

지금도 매주 너와 공연을 보러 가고 싶은데

그러지 못해 너무 미안하구나.

첫 번째 놀이동산

너와 놀이동산을 다녀온 게 벌써 한참 되었네

조만간 다시 한번 둘이 가야겠구나.

너의 기억에 담아주려면

첫 번째 치과 치료

네가 처음 치과를 다녀온 이후로는

단 하루도 자기 전에

이빨을 닦지 않은 날이 없구나.

첫 번째 별자리 관찰

같이 별을 보러 가고 나서부터는

밤하늘을 보며 별을 찾는 네 모습이

아빠는 너무 아름답구나.

첫 번째 기차 여행

너는 처음 기차여행을 갈 때나

지금이나 캐리어를 끌고

여행 가는 것을 너무나 좋아하는구나.

첫 번째 곤충 채집

네가 어릴 때는 곤충을 만지고

보는 것을 참 좋아했단다.

지금은 무섭다고 도망 오지만

어린이집 졸업식

아빠는 어린이집 졸업식에서
왜 우는지 알지 못했다.
아빠가 가서 울기 전까지는

어린이집 친구들, 선생님과의 이별

선생님도 아이들도

서로 아쉬워하며 웃고 우는 모습이

너에 첫 번째 헤어짐에 시간 이구나.

첫 번째 학교 방문

바로 어제 엉금 엉금

기어다녔던 것 같은데

네가 벌써 초등학생이 되었구나.

학용품 구매

새 가방과 학용품을 사고 나니

벌써 학교를 가겠다고

준비하는 네 모습이 너무 귀엽구나.

새로운 친구들과의 만남

이제 얼마 남지 않은 입학식이 지나면

새로운 학교에서 새로운 친구들과

함께하겠구나.

새로운 선생님과의 만남

아빠는 네가 좋은 선생님을

만났으면 좋겠어.

좋은 스승은 최고의 보물이란다.

초등학교 입학식

초등학생이 된걸

축하한다.

이 책은 아빠가 주는 선물이야!